KB033252

10대 때 꿈꾸었던
그 무엇도 되지 못한 채로
20대에 썼던 문장들을
30대 초입에 엮는다.
삶이
생각대로 되지 않는다는 걸 알면서도
나는 여전히 나로서 살기보다
무엇인가가 되기를 바란다.
그러나 나는 알고 있다.
영원히 나는 무엇도 되지 못할 것을.
영원히 나는 무엇도 되지 못한 채로,
그저 나로, 한결같이, 매일 다르게,
나로서만 살아갈 것이다.

이천이십삼년의 늦여름에

차 례

1부. 상실의 습관

2부. 계절의 감각

3부. 청춘의 새벽

1부. 상실의 습관

걷다

걷습니다
계속 걸어왔습니다
시작이 있었던 것 같기도 합니다
멈춤에서 걷기가 시작되는 것이라면
시작의 기억은 없었던 것도 같습니다
시작 이전의 멈춤이 없었으므로
시작의 순간 또한 없었던 것이겠지요
걸었습니다
걷고 있습니다
혼자 걷지는 않았습니다
함께이지도 않았지만
더러는 나를 앞서가고
더러는 내 뒤에서 따라왔습니다
또 몇몇은 나와 발맞춰 걸었습니다
힘겹게 발맞추던 그들은 어디로 갔는지 모르겠습니다
어느 틈엔가 앞서거니 뒤서거니 했던 것 같기도 합니다
지금은 당신이 있군요
내 오른발에 당신 오른발도 함께 움직이는군요
겨우내 발이 얼어있었습니다
발이 아팠는데 발이 얼어 그랬는지
신발이 불편해 그랬는지 알 길이 없었습니다
눈이 녹고 나니 그제야 발도 녹습니다
겨우내 발이 얼어있었습니다

걷습니다
걷고 있습니다
당신과 함께 걷는 것은 아니지만
발은 맞춰집니다
나는 걸어갑니다
한 발 한 발 걸어갑니다
다음 겨울에 발이 얼어도
그 때도 걷겠지요
그 때는 어떤 발이 함께 언 발이 되어 발맞추어주겠습니까

침묵의 유년

유난한 유년이었다
시끄럽고 번잡스러웠는데
분명히 그러했는데
떠올리는 유년은
이상하게도 무성영화처럼 소리가 없다

울타리 안에서 조용하다
다만 하나의 소리가 있을 뿐이다
오로지 연필 사각거리는 소리만이
간혹 부서진 울타리도 있었지만 소리는 그 밖을 넘어가지 않았다

연필은 기억할까
그때 그 소리를
울타리에 새기던 웃음과 울음을

그때 생은 오래 남은 것이어서
울음의 물기는 금방 말라 자취를 감추고
웃음의 옥타브는 금세 올라 쉽게 퍼졌다

이렇게 무언가 찾게 될 줄을 모르고
그렇게 그 모든 것들이 사라진 줄 모르고
나는 얼마 남지 않은 유년을 또 얼빠진 아이가 되어
다른 것들과 울고 웃었다

유년은 이제 침묵한다
완연한 침묵이다
희미하게 남은 손등에 박힌 연필심도
손바닥에 그인 칼자국도
유년을 기억하는 것들은 모두 침묵한다

물집

생은 늘 빈터였다
반은 지나온 과거에
반은 지나칠 미래에 있었다
돌이킬 수 없는 시간에 절망하며
잡히지 않는 미래에 투신했다
땅은 없고
붕붕 하늘을 나는 듯했다
허망한 인간이 땅에 발 딛고 살기란
제법 어려운 일이어서
언제나 발을 꼭꼭 내딛고 살았다
매번 불행해도 어쩔 수 없는 노릇이다
발바닥의 하얀 물집만이
오로지 걸음을 입증한다

삶이 영화라면

어른의 삶이란 오해를 견디는 삶이라고 한다
이해는 요원하고 오해는 만연하다
제법 영악스러워진 나는
일부러 오해를 만들기도 하고
오해를 해명하지 않은 채 내버려 두기도 한다
그들이 그냥 그런 채로
나를 생각하게 하는 것이다
시쳇말처럼 인생이 영화라면
명감독까지는 아니어도
덜떨어진 편집감독 정도는 하고 있는 셈인가
그렇게 조각조각 내면서
그중 몇 가지는 버리고 몇 가지는 이어붙이면서
버려진 조각에 마음도 버려지면서
거듭되는 오해에 나조차 진실을 잊으면서 살아간다
내가 나로 산다는 것은
그 모든 것들을 견뎌야 하는 것이다
견디고 있을 때에만 나인 것이다
포기하지도 않고
적응하지도 않은 채로
오직 견디고 있을 때에만
그때에만 말이다

슬픔의 장기

불빛이 꺼지자
활자도 꺼져버렸다
꺼진 활자들은 어디로 갈지 몰라
슬픔 곁에 자리한다
슬픔의 장기는 잠복근무
가장 방심한 시간에 공격할 줄 안다
그래서 슬픔은 강하다
밤은 나를 구슬리고
고래를 집어삼킨 강물은
자갈의 바닥을 긁는다
얼음 속 가시는 나의 위장에서 드러나고
오랜 화석처럼 자리한다
말문이 턱 막히고
꺼진 불빛은 잔열이 남아 있다
무너진 절망에서도 잔기운이 핀다
네가 흘리는 눈물에서도 열이 난다
나는 눈물 흘리자마자 사라진다
연유는 중요하지 않다
오로지 고독
그뿐인 슬픔
여남은 절망
그 몇 안 되는 것들이
사실은 강한 그것들이
어둠 속에서 힘겹게 명멸하고 있다

문상

낯선 도시로 문상을 갔다
기차를 타고 지하철을 타고
처음 발을 내딛는 땅으로 향했다
한 번도 발음해 본 적 없는 역 이름들을
입속에서 조용히 조음하자
점점 죽음이 가까워졌다
그 때 죽음은
한 번도 발음해 본 적 없는 듯한 낯선 언어였다

드문드문 앉아 있는 문상객들은
차라리 풍경
떠난 이와의 이별보다
찾아온 이와의 만남에 더 힘써야 하는
상주들과 어색하게 인사를 나누었다
떠난 이의 말 없는 미소가 시큰해
괜스레 눈 둘 곳이 없었다

상에는 그 지방의 유명한 음식들이 차려졌다
창문 밖에는 잎 떨어진 나무들이

겨울바람에 사사로이 몸을 떨었다
노을이 지는 시간이 되자
나무들의 붉은 그림자가
장례식장 바닥까지 물들였다

안녕,하고 묻는 안부 같았다

나무에 걸린 지는 해를 가만히 바라보다
나는 다시 숟가락을 들었다
내 앞에 놓인
밥이며 국이며 머릿고기 수육이며
이런저런 것들을 씹기 시작했다
씹고 삼키기 시작했다
안녕,하고 안부를 물으며

생채기

손에 작은 생채기가 났다
따끔거렸으나 이내 잊었다
아니 잊었다고 생각할 때마다 따끔거렸다
어느 날 밤
잠들지 못하는 고통에
온몸을 뒤졌다
생채기는 벌써 상처가 되어 있었다
속으로 곪고 겉으로 터졌다
어쩔 줄을 몰라 하며
어설프게 불을 켜고
피고름인지 피딱지인지
그 모든 게 뒤엉킨 것인지
그 상처를 들여다보았다
가만히 들여다보았다
그러니 고통이 느껴지고 느껴지다가
이내 느려졌다

상처였던가 상상이었던가
고통이었던가 고장이었던가

고개를 갸우뚱
나는 다시 어설프게
불을 끄고
침대에 가지런히 누웠다

이불을 머리끝까지 덮고
나는 한 가지 소원을 빈다
나는 태초부터 없는 사람이어라

플랫폼

검은 그림자는 우두커니 서있다
배려 없는 상의와 서투른 바지 밑단
차렷 자세이기도 했다가
앞으로 나란히 하기도 한다
앞사람도 뒷사람도 없는데
앞으로 나란히를 오래도 한다

당신이 눈치를 챘든, 채지 못했든
그 그림자는

한때 사람이었던,
박물관에 박제된 네안데르탈인과 같이
도저한 과거를 안고 안아
결국 몸이 암흑이 되어버린
그 그림자는

사당역에서 출발한 열차가
다시 사당역에 도착할 때까지 여백처럼
플랫폼에 서 있다

오가며 헤집는 시선들과
스치며 재단하는 언어들 틈에
스스로 치열하게 놓여있다

그렇게 일상이 흐르고
비틀거리며 막차를 탄 사람들에게는 그림자가 없다
그림자 없는 그들에게
검은 어둠이 안부처럼 내려앉는다
사람들이 사라진 플랫폼에서 어두운 그림자는
또 하루 더 검어진 채로
그림자는 훠훠 흘러나간다
나란히 나란히

히읗

한글 자음의 마지막 글자는
홀로 서 있었다
히읗, 하고 발음하는 그 뒤에 열은 숨이 남을 때
환영과 홀대 사이
희열과 환멸 사이
해와 흙 사이
한과 향 사이
현명과 현혹 사이
혐오와 화해 사이
합의와 함의 사이
헤아림과 흩트림 사이
혹과 흥 사이
훨훨과 휘휘 사이
행려와 항자 사이
그 모든 이해와 오해 사이에
사람처럼 숨이 서 있다

맥

펄떡이는 맥
그것은 한때 삶의 증거
손에 꼭 쥔 땀방울
핏기 어린 눈동자를 지니고
한 판 대거리를 한다
말의 칼날
눈빛의 창
찔리고 베이고 썰려나가며
한 점 살의 무게와
한 획 글의 무게는 동일한가
난도(難度)와 난도(亂刀)
말은 정처 없고
생이라는 담보 아래
맥은 쉼이 없다

비문

없는 희망을 구태여 입에 담았다
순간마다 쓸쓸하다
하나와 둘의 차이가 아니다
사랑은 떠나고 친구도 멀어졌다
나와 묶일 수 있는 모든 인연들이 흐릿하다
이번 생은 외로운 생이리라
오래된 선언 같다
그렇게
누구에게서도 완성되지 못한 채로
나 자신마저도 채 알지 못한 모습으로
이곳에 내가 발 디뎠는지조차 누구도 모른 채로

없는 것

아이는 오늘 없음을 배웠다
없다는 것
있었다 사라진 것
혹은
애초부터 없는 것
없지만 우리 마음속에는 자리할 수 있는 것
없어서 생각할 수 없는 것

있음으로 없는 것은
외로움이었다

없음으로 있는 것은
그리움이었다

아이는 텅 빙 운동장
녹슨 철봉 밑에 홀로 앉아
모래성을 쌓았다가
부쉈다가 한다
외로웠다가 그리웠다가 한다

교차로

교차로에 섰다
모든 것의 교차로다
겸양과 자기기만
환멸과 가식
웃음과 비웃음
사람들은 이곳저곳 흩어진다
신호등은 멈추라고, 가라고, 조심하라고
자신을 빛낸다
그 빛이 한꺼번에 쏟아져서
교차로에 선 나는 그저 서 있다
교차로에서는 풍경이 한눈에 보인다
저 큰 건물과 이 높은 건물이 한눈에 들어온다
전봇대의 끝과 하늘의 시작이 교차하고
그 전깃줄에서 비행기와 만난다
나는 왼쪽으로 갈 것이었다가
오른쪽을 한 번 보고는
발끝을 돌린다
모든 것의 교차로에서
나는 어디로 내 발걸음을 교차해야 할지 몰랐다
생은 그때 그렇게 한참을 멈춰있었다

적과의 동침

우리들은 말없이
트랙 위에 던져졌다

달려라
우리에게 입력된 유일한 언어

동심원의 길을 돌고 돌고
너의 인력과 장력 속에서
나는 애써 버티고

동심원은 같은 마음이 아니다
우리는 마주치지 못한다
나는 나를 만날 수 없다
우리는 하나의 중심을 도는가
이렇게 다른 모습으로
제각기 다른 방향으로

누가 우리를 하나로 보는가
우리의 거리 이렇게 아득한데

우리의 마음 중심은 결코 같지 않은데

아 적과의 동침
그것은 결승선 없는 트랙 위를 달리는 일

같은 중심이라는 기만으로
닿을 수 없는 곳을 향해 손 뻗는 일

결국은 모든 것이 나인
그러나 모든 것이 나이고 싶지 않은
내 모든 모습의 시공간

역마도 유전이라

그러니까 아버지 탓이군요.

내가 가장 잘하는 것을 한다
늙은 나의 부모를 탓하는 것

그러니까 호-적.
무언가를 불러내어 꾹 찍어버리는 듯한
그 문서는
웬일인지 잉크가 마르지 않고

내가 태어나지 않았으나
태어났던 그 순간부터
나는 어딘가 한 군데는 마르지 않은 채로
축 젖어 푹 절여진 채로
나의 역마는 시작되었다

역마의 기본은 길을 잃는 것
아니 잊는 것
처음부터 목적지가 없으므로

내 소유인 것 없으므로
나는 잃을 것이 없다

다만 잘 잊는 것은 몹시 중요하다
나를 스친 것, 잠시 손에 쥐었던 것을

잘 잊어야
나는 마르지 않고 뚝뚝 흐를 수 있다

아버지는 나를 바라본다
자신과 닮았다 한다
나는 진절머리를 친다
글쎄 어딜 봐서

잊으려야 잊을 수 없는 단 하나는
마루였다
나는 잊는 것조차 지칠 때
마루로 돌아온다

마루에 누웠다
나를 조금도 닮지 않은
아버지가 따라 눕는다
그가 눕자 뚝뚝 마르지 않은 잉크가
대청마루를 적신다

금세 물든다

아버지에게서 흐르는 잉크 속에
내가 누워있다
닮았다
역마도 유전이라
나는 대청마루에서 나의 덜 마른 잉크를
흩트리며 아버지 탓을 한다

최후의 심판

그러니까 사건번호 11211991
피고는 나
원고는 없음 혹은 있음
재판관은 언제나 존경받고 그만큼 야유받는 그 치들

나는 서 있지
삐딱하게 때로 공손하게
담배 피우다 걸린
죄송하지만 꺼져주기를 바라는
덜 자란 사춘기 중학생처럼
최대한 억울한 표정을 짓고서
같은 얼굴로 죄지은 적 없다는 듯이

판결은 언제나 유예
나의 죄는
두 눈으로 보고
두 귀로 듣고
하나의 입으로는 말하지 못한 것

두고 보자는 것인지
봐줄 만했다는 것인지
앞으로 그러지 말라는 것인지
걸리지 말라는 것인지

싱거운 재판
방청석은 애초부터 공기의 것
일어서서 나가버리는
재판관들을 향해
나는 마지막 최후변론을
아니 최후의 부탁을

에이 판사님 진짜 죄를 말해줘요
견딜 수 없는 죄책감의 실체를
나무봉을 두드려 깨줘요
나는 더 버틸 수가 없어요

골목길

지킬 것이 없어 더 두려운 날도 있었다
그런 날이면 골목을 쏘다녔다

같은 길인데도
다른 과정이었던 풍경이 많았다

어느 길은 소리를 채집하고
어느 길은 냄새를 가두었다
걸음은 풍문이었다

그 거리의 풍문들이
나를 두드릴 때
흐트러진 길들의 매무새를 다듬으며
또박또박 걸을 때

나는 풍문과 길의 끝자락에 기대
내 얼굴의 명과 암을
변명 없이 내놓았다

어떤 날은 난제처럼 걸었고
어떤 날은 정답만 골라 걸었다

그래도 길이 모자란 적은 없었다

다만
한참을 걷고도
뒷걸음이었던,
어떤 날도 있었다

웃는 남자

그는 언제나 하하, 하고 웃는다
하하, 하고.
호호는 좀스럽고
후후는 거만하다, 고
그는 배웠으니까
하하, 하고 호탕하게(배운 대로)
그는 모범답안처럼 진부하게 웃는다

하하, 하는 그의 입은 많은 것을 삼킨다
한바탕 거리를 쓸어낸 황사 먼지도 밝은 곳을 찾았으나 어둠으로 돌진한 눈 잃은 모기도 어디까지 줄을 쳐야 하는지 가늠하지 못한 거미도 아직 쉴 곳을 찾지 못한 바람도 왜 그리 웃고만 있냐는 핀잔도 적란운이 내린 시린 우박도 함께일 때는 때로 혼자일 때는 자주 눈물과 콧물도

그는 하하, 하며 모든 것을 삼킨다
삼키면 이내 사라지는 듯이

그런데 그는 모른다

그가 삼켜버린 황사 먼지는 여전히 그의 안을 쓸어내고 모기는 그의 내장을 흡혈하고 거미는 산 몸에 거미줄을 치고 있으며 바람은 그것들을 휘몰지 못한 채 부유하고 핀잔은 파쇄한 종이처럼 수북이 쌓이고 우박이 녹아 홍수를 이루며 눈물과 콧물이 그 수위를 높인다는 것을

그가 삼킨 모든 것이
하나도 사라지지 않고 그 안에 남아
실은 하나도 호탕하지 않은 채로
진부하지만 또 삶답게 살아간다

그러나 언젠가 그 사실을 그가 안다고 해도
그러니까 입에서 흙 알갱이나 모기의 알, 바스러진 종이, 끝을 알 수 없는 물줄기가 터져 나온다 해도
그는 여전히 하하, 하고 웃을 수밖에 없을 것이다
세상에 웃음이라고는
하하, 밖에 없는 사람처럼

복도의 울

희망이라는 말이 있어 절망적인 날들이다
숨을 쉬어야 해서 추스르는 몸 덩어리다
빛이 소리여서 시끄러울 뿐이다
누구든 조용히 해주기를 바란다
한 번도 즐겁지 않았던 광대를 생각한다
웃을 수 없는 나와 웃어야 하는 나를 생각한다
나를 죽이고 싶은 나와 나를 견디는 나를 생각한다
네가 이유라고 외치며 빗겨나고 싶다
너는 억울하겠지만
이여, 나를 위해 조금 억울해다오
어차피 답이 없는 문제에 이유를 핑계 댄들
뭐가 그리 큰일이겠는가
이곳에서 나는 점점 어둡고 좁은 복도가 되어 간다
겨우 한 사람 지나가기에도 벅차다
그 사람마저도 벽을 더듬고
발에 모든 것이 걸려 넘어지기를 반복한다
내가 입 밖에 내는 소리가 무슨 소리인지
나는 알 수 없고 알고 싶지 않다
내가 나를 용서치 못할 것이므로
일희일비는 나의 특허
헤매는 눈동자는 나의 신분
이렇게 무자비한 봄도 청춘인가
듣는 이 없는 질문만 복도를 질주한다

상처

검은 마음을 들여다본다
갚아주는 마음이다
겨루는 마음이다
내가 받은 상처를 꼭 그만큼
그보다 더 돌려주는 마음이다
너도 너의 검은 마음을 들여다보라고
고문하는 마음이다
할퀴어진 마음
피는 검은 얼룩
그 안에 너
나를 다치게 하며
너를 다치게 하고
아닌척하면서
별 볼일 없는 것
이제 나는 아무것도 아니다

문

두 개의 문이 풍경을 나눠갖는 세계는
언제나 함정이지

고정된 문과 밀어지고 당겨지는 문의 운명은
다르니까
그저 주어진 것
문이 움직임을 싫어하여 끼익 댄대도
어느 쪽 못질이냐에 따라
매일 여닫혀야 할 수 있지

그런 그들이 가진 풍경은 서로 다른데
하나로 보는 인간들이 있어

왼쪽과 오른쪽의 풍경이
고정된 풍경과 드나드는 풍경이
같을 수 있다니
얼마나 뻔뻔하고 대담한지

잠시 멈춰 서서 이를 맞추고 있는
문에 속아 넘어간 바보들이지
그들의 숙명에 대한 예정된 기만이지
보고 싶은 것만 보는 아집이지

오늘도 두 짝의 문은
너무 다른 세계를 사는데

거짓말의 형식 1 - 세계지도

그는 어느 날 지구 위에서 미끄러져
결근을 했다

왜 결근을 하냐고 묻는 상사에게 그는,
지구가 자전을 해서요,
했다

대꾸는 없었고
기대도 없었다

어쩐지 걸을 때마다 어긋난다 했는데
기어코 사달이 났다

판은 움직이는 것이었지
지구가 도는 것도 모자라

허리에는 금이 가고
그의 항아리도 바닥을 긁었다

그는 누워지내는 동안에는
천장의 무늬로 세계지도를 그린다

이번에는 높은 곳에 있고
그는 누워있으니 안전한 지구였다

돌고 있는 구 위에서 떨어지지 않고 걷는 것은
어떤 거짓말의 형식이었을까

누워서 높은 곳의 창문을 바라본다
창밖에는 계절이 사라지는 중이었다

사라지는 계절을 목격한 죄로
호를 그리는 낙엽에 눈동자를 베었다

창밖은 온통 붉었다

그가 천장에 그리는 세계지도도
하릴없이 붉어졌다

그는 내일도
미끄러질 터였다

거짓말의 형식 2 - 거울 계단

거울로 만들어진 계단을 오르는 일
그것은 어떤 거짓말의 형식이었을까?

처음에는 좋았어
무엇이든 많았으니

허울뿐인 복제였어도
위로하기에는 충분했어
어차피 위로가 충만하기란 어려운 일이잖아

빛과 어둠도 완연했지
계단은 사방으로 뻗어있었어

착각
그럴 땐 자주 그것을 했어
완전한다는

계단마다 내가 얼마나 많았겠니
나를 따라 걸어올라 오는 나를 봐

나보다 앞서가는 내 머리를 봐
나는 분해되었지

나만 있지 내가 여럿이지 그러니까 궁금해졌어
나는 나일까?

저 계단의 나는 나인가?
저 벽의 나는 나인가?
웃는 것은 나인가?
저 눈물은 나의 것인가?
그 계단에서는 자주 미끄러지지만
떨어지지 않아

말했잖아 끝이 없다고
그 계단에는 끝이 없어
언제부터 여기 갇혔던 걸까

2부. 계절의 감각

겨울의 감각

겨울이 코 끝으로 온다
포장마차의 어묵 냄새로
홀로 서서 손님을 맞는 주인장의 미소와 함께
겨울이 시선 끝으로 온다
여린 나뭇가지로
홀로 남아 마지막 인사를 흔드는 나뭇잎과 함께
겨울이 촉감 끝으로 온다
당신의 손길로
홀로 우두커니 서서
당신이 온종일 주머니에 넣어둔 손난로와 함께

이제는 없는 당신의 손길
더 이상 따뜻해지지 않는 손난로
우리가 함께 하지 않을 날들
그 빈 감각을 느낄 때
당신이라는 상실이
온몸으로 온다
비로소 겨울의 추위가
온 마음으로 온다

행복이 별건가

횡단보도를 사이에 둔 아빠와 아이가
서로에게 미소를 보내는 그 틈에

오랜만에 만난 벗의 얼굴에
안부처럼 노을이 내려앉을 때

태양의 아래에서
비행기가 지날 때

그때, 그곳에 언제나 행복이 있다

겨울

겨울이다
코트 주머니에 손을 넣고
몇 개의 동전을 손에 쥐고
네게 물을 수 있는 계절이 왔다
배고프지 않으냐고
빨갛게 얼은 본디 하얀 너의 뺨이
이번에는 기분 좋음으로 물들고
위아래를 오간다
그럼 나는 너와 노점상 앞에 서서
떡볶이며 어묵이며
붕어빵 같은 것을 먹는 것이다
한 번에 많은 것을 시키지 않고
하나씩 천천히 시키면서
너와 함께하는 시간을 최대한 늘이면서
그렇게 불어오는 바람도
다 맞아가면서
내뿜는 입김에도 아랑곳 않고
이 겨울에 너와 함께라서 다행인
그런 계절의 출발점이다
그래서 오늘도 나는 너를 만나러 가기 전에
코트 속에 몇 장의 지폐와
몇 개의 동전을 넣는다
우연히 그러나 예정된 행복을 기어코 만나기 위해

나무타래

길을 걷다 문득
하늘을 올려다보니
검은 하늘에
검은 나뭇가지들이
얽히고설켜
여백 없는 공간들만 가득했다
얽히고설킨 나뭇가지들에
나를 할퀴어
한 발을 비켜 서자
여백의 하늘
검은 하늘이었다
그 어떤 빛도 차단한 채로
오로지 어둠만을 담고 있으니
다시 제법 쓸쓸해져
슬그머니
한 발을 들여놓았다
하늘에는 나뭇가지가 드리워졌고
나는 다시 아팠으나
그만큼은 덜 외로운 듯했다

12월 29일

멍하니 앉아있는데
까치가 울었다
새해가 오고 있기 때문일까
까치가 울면 반가운 사람이 온다는데
새해처럼 너도 올까

불꽃

문이 열리고
바깥의 차가운 기운을 온몸으로 안고
벗이 들어온다
안팎의 온도차는 훈김을 만들고
그의 등은 그것을 지고 있다
김은 부피인가 무게인가

해도 그만, 안 해도 그만인 말들을 이어가다
간간이 침묵을 끼워 넣는다
혼자서의 침묵 말고 둘 사이의 침묵이 필요한 때가 있다
우리는 한 번씩 꿈을 접은 적이 있다
접힌 종이처럼 마음에는 자국이 남았다

SNS의 핫플레이스는 뜨겁다
방문객의 쉼 없는 발길 때문에
쏟아지는 카메라의 열기 때문에
핸드폰 플래시에서도 열은 나는지

우리가 다시 꾸어야 할 꿈은 우리 몫인가
창밖에는 자유의 도시 속 공원을 닮고 싶은 초목들과
그 자유를 닮고 싶은 젊음들
행복을 담고 싶은 표정들이 있다
무언가가 되고 싶은,
아무것도 되지 못한 것들과 사람들

핫플레이스
뜨거운 그곳에서
젊음은 비틀거리고
그래도 불꽃은 터진다

대설주의보

대설주의보는
강원 경상 전라 경기에 차별 없이 떨어진다

기울어진 소주잔 속에는
별거 아니어서 별거인
모든 세상의 모든 이야기가 쏟아진다
지금 이 순간에도,
"그래도 지구는 돈다"

흩날리는 눈발의 표정은 엄정하고
술이 술잔을 돌 듯
말들은 술잔을 공전한다
연인들과 훈김과
아저씨들을 목소리를
돌고 돌아
싶다로 마쳐지는 이야기들

술잔의 마침표는 아득하다
이 순간에도 핸드폰은 지잉

대설주의보는 어김없이 내리고
우리는 돌아갈 길을 못 찾고
지구는 돌고

지구가 반바퀴를 돌면
대설주의보 대신 폭염주의보는 또 울릴 테고
그때는 어떤 어미가 싫다를 대신할지

어쨌든 지구는 또 반바퀴를 돌 테고
그럼 다시 대설주의보가 올 테고
어김없이 내 몫이 될 기울어진 빈 잔

춘분의 풍경

적도의 아이는 오늘
태양의 중심과
자신의 배꼽을 마주한다

배꼽의 절반은 낮으로
배꼽의 절반은 밤으로
오늘의 낮과 밤이 동일하다
하루가 비로소 대칭을 이룰 때
그의 그림자엔 망설임이 없다

적도의 아이는 골똘히 들여다본다
배꼽의 내리쬔 빛과
등 뒤로 떨어진 어둠을
그는 갑자기 파드닥, 달린다
닿은 적 없던 빛에
가닿을 것만 같다

춘분의 풍경
이루지 못한 일들과 내뱉지 못한 말들이

이루지 못할 일들과 그럼에도 달릴 마음이
대칭으로 접히는 날

적도의 아이의 배꼽이
저기 먼 극지방 아이의 배꼽과

다를 바 없음을
햇빛이 증명하는 날

낮잠

낮잠 속에서
당신 미소 위에는 햇볕이 찬란하고
당신 미간의 주름 사이로 먹구름이 흐른다
당신의 날씨
세계의 계절
남은 기다림을
길 위에 내려놓고
내일 다시 찾아올 것을
누구도 없이 약속한 뒤
문틈을 살짝 열어 놓고는
나는 선잠에서 깨어난다
꿈속에서 맑았던 듯한 당신의 날씨는
지금은 어떨는지
사랑이라는 말로도
변할 수 없는 이곳의 날씨는
왜 이리도 서글픈지
머뭇거리는 눈발 아래에서
나는 아직도 당신을 기다린다

색

산에 오르면 알게 되지
나뭇잎의 색이 초록, 연두만이 아님을
나무들 저마다
은행나무 소나무 측백나무 잣나무 벚나무 단풍나무
그 모든 나무마다 저마다 다른 초록을 달고 있지

햇빛을 더 받은 잎과 그렇지 않은 잎
하물며 한 나무 아래에서도 그리 다르지

그러니 우리 크레파스로
산 전체를 초록으로 뭉개는 일만큼
무례하고 세심하지 못한
마음이 어디 있을까
나무들 섭섭해
바람에 일렁이는데

사람도 그렇겠지
색색의 연등이 저마다의 소원을 품듯이

보통 사람이라 퉁쳐버리기에는
너무 많은 사람들이 살고 있지
저마다 다른 잎을 틔워내면서
연두와 초록, 그 말로는 설명되지 않는
생의 스펙트럼 안에서

별스러운 봄

봄이다
뜰에는 개나리가 피고
하늘에는 벚꽃비가 내리는 시절이다
까치가 아침에 울었지만
그리운 사람은 오지 않을 것이다
창문을 열고
먼지를 내보낸다
부유하고 있었으나 보이지 않았던
먼지들이 존재감을 발휘하자
그 밑에 놓여 잠들어 있던 사물들이
기지개를 켠다
그리운 마음도 슬며시 고개를 들어
재워둔 기억들을 흔든다
오늘 산책길에는
금낭화를 보았다
꽃잎은 알고 있다
피와 아름다움이 뒤섞이는 것이 사랑이라
고통과 행복을 걸러낼 수 없는 것이 사랑이다
걸음걸음마다 새롭다
새롭게 아프다
별일 아닌 일도 별일이되는
봄이다
별스러운 봄이다

태초의 여름

태초의 세계에 여름이 있었다
그곳은 사막은 아니었으나 모래가 가득했고
나무는 없었지만 어쩐지 푸르렀다

아이는 빛을 가지고 공기놀이하는 것을 좋아했다
뜨거우나 데이지 않았다
무너지지 않는 모래성을 쌓았다
밀려드는 파도는 발을 적시지 않았다

그 여름을 견디는 데에는
혼자여도 충분했다
무음의 세계
혼자서도
타자가 되는 법을 배우기 전까지는
그러했다

그 일은 미처 일어난 지도 모르게
시작되어 끝이 났다
하나가 둘이 되는 것은
삽시간이었으나
그것이 다시 함께 하는 데에는
많은 것이 필요했다

이제 그들은 뜨거운 것을 참지 못했고
모래성은 쌓기도 전에 무너지고
바다는 계속해서 그들을 덮쳐왔다

태초의 여름은
매미 소리조차 없던
고요한 세계는
울음에 갇히고,
울음이 여물어 뜨겁고 습한 여름으로만 남고
아이는 이제 도무지 그때가 기억나지 않았다

여름의 오후

하늘이 맑고
구름은 깨끗하다
신의 팔레트
바람은 시원하고
촉감은 청명하다
신의 부채질
그 바람이 내 마음속과 머릿속까지 들어와
이리저리 헤집는다
있었던 일인가 싶은
기억들이 한 모서리씩 삐죽삐죽
고개를 내민다
나는 소용돌이친다
그립고 아쉽고 후회스럽다
다시 살 수 없어
빨리 살고 싶고 그런 날에는 차라리
죽음마저 기다려지는데
날 좋은 여름날의 오후에
내 마음에는 느닷없이 태풍이다

여름의 오류

오후라고 제목을 짓는데
오타가 났다

치고 보니 이것은 이것대로 괜찮아
그냥 두기로 한다

나는 세상의 오점
나의 시는 세상의 오타
잘못 흘러가는 삶의 흐름
부적응도 그런대로 괜찮다

모두 바다나 계곡이나 폭포를 향해 흐르는데
나 하나 실개천이 되어도
지장 없다

지장 없는 것들 투성인데
호들갑은 사실 아무 지장 없음을 감추기 위한
장막인가

이 시는 이 여름의 오류다
너무 뜨거워 고장 나 버린
어느 뇌의 실핏줄이다

이 시가 어찌 되어버려도
내 삶에는 지장 없으므로
호들갑은 사절이다

고장 난 cctv는 같은 자리를 맴돌고
나의 언어들도 오류를 반복한다

어떤 울음

맹꽁이 열차가 다니는 길목을
한걸음 비켜서서
여자는 수그려 앉아 울었다

뒷모습이었고
얼굴도 보이지 않았다

보이는 것은 굽은 등
하늘색 블라우스 위로
돋을 새김된 그녀의 굽은 등뼈였다

그녀가 울고 있다고 생각했고
어쩐지 그 뼈들이
모두 혹처럼 느껴져서
그녀가 저리 서러운가 했다

어떤 울음은 거리만큼 진하다
어떤 울음은 소리 없이 축축하다

그때 그 여름에
신기루처럼 들썩임을 보았다

소리 없이 먼 거리를 토닥였다
그녀는 여전히 울고 있었다

언덕의 질감

물감을 가르는 붓질이
캔버스 위의 질감을 만들어내듯이
바람의 빗질은
언덕의 질감을 만들어 낸다

나는 늙은 어머니의 손을 잡고
하나하나 그 손의 핏줄과 뼈를 어루만지며
언덕을 오른다

어머니의 몸 구석구석에도
세월이 빚은 생의 언덕이 남아있다
굽은 등
굽혀진 무릎
울퉁불퉁한 손

언덕은 어느 순간 좁아져
차가 다닐만한 폭에서
리어카를 끌만한 폭으로
자전거를 탈만한 폭으로

이제는 겨우 사람 하나 지날만한 폭으로 바뀐다

나란히 걷던 길을
일렬로 걸을 때

어머니는 손을 무릎에 얹고
언덕을 견딘다

어린 시절 그림을 그리고 싶었다는
그녀의 지나가는 말은
오래된 유언같이 남아있다

나는 아직 추위가 가시지 않은
봄날의 언덕에서
붓질 같은 바람을 맞으며
꿈인지 유언인지 모를 말을 곱씹으며
빚어지고 깨어지고
늙은 손을 마주 잡는다

성장통

하늘은 낮은데
새들은 높게도 날았다
소년은
내가 작아서 그럴지도 모르는 일이지
라고 생각했다

검은 하늘은 꾸물거리고
검은 바닥은 비를 품을 준비를 하듯이
아지랑이도 없이 일렁거린다
소년은 여름밤을 세어보며 샌다

모든 것들이 떠나지 않았던 시절이 있었다
바람이 사람과 사람 틈을
비좁게 꾸역꾸역 흐르던 때였다
너른 연두가 밤하늘에 펼쳐지고
바람이 속에서 웃던 때가 있었다
그 밑에서 소년도 웃었다
그때는 아직 아이였다

어떤 것도 돌아오리라 기대할 수 없는
더운 저녁이다
소년은 문득 혼자여서
어린 시절 귀동냥하던
혼들의 한을 마주하기가 무섭다

이 문 저 창을 열어두는 그는
아직도 아이다

종아리는 여전히 아프다
이제는 아픔이 허벅지까지 올라온다
하늘은 여전히 낮고
울듯 울듯 울지 않는다

소년은 여름을 바라본다
그 어린 생에도 기억이라는 것이 있어
자꾸 그를 밀어내고, 그는 자라난다
오늘 밤에는 결국 세차게 비가 내릴 모양이다

달빛 채집

오늘 밤에는 달을 채집하려고 해
무엇으로 해볼까
궁리했지
잠자리채를 던졌더니 달이 금방 날아갔어
돋보기로 들여다보았더니
내 눈이 달인지 달이 눈인지
그렇게 커져서야 채집할 만한 달이 아니지

이번에는 세밀히
핀셋을 집어 들었어
달은 바스러지기만 했어
그렇게 달이 약했었는지 미처 몰랐지
맨눈으로도 보이는 그 큰 흉터들에도 불구하고 말이야

실패다
문을 닫았는데
방충망의 격자에 달이 걸리었다

조각난 달들이
모여 하나가 되었다
보름달은 보름달로
손톱달은 손톱달로
달의 퍼즐이 완성되었다
나는 가만히 내 방 침대에 누워

방충망 왼쪽 끝에서
기어코 방충망 오른편 너머로
사라질 때까지
그렇게 달빛을 모으고 조각내고하면서
누워있었다

비

작은 빨래 하나가
빨랫줄에 홀로 남아있다
여전히 젖은 채로

굴절하는 햇빛은 전체를 적시지 못해
일그러진 흉을 남길 뿐이다

세상의 끝 같은 구름이
얼마 남지 않은 빛마저 덮는다

구름 속에 예비되었던 빗방울이
마저 숙제를 끝마치려는 듯
힘껏 돌진하고,
그 의지를 막기에는 의지가 부족하다

작은 빨래가 이내 흠뻑 젖고
진공인 줄 알았던 곳들에 모두
전염처럼 비가 흩어질 때

어떤 공백도
실은 공백이 아니었음을 알았다

제야의 종소리

다급히 빨아대는 꽁초의 끄트머리 연기처럼
희미하고 조급하게 세밑이 왔습니다

스스로인 것을 견디지 못한 어느 친구의 부고를
부끄럽게 견디며 또 한 해를 살아냈습니다

송년의 밤 끝에 남은 토사물을 쪼아대는
비둘기 떼들은
그 흔적 속에서 희망의 낱알을 발견할 수 있을까요

근근이 버텨낸 날들 속에서
생의 근력은 얼마나 더 늘었습니까

삼삼오오 모인 사람들은
모든 것을 잊고자 이곳에 틈 없이 몰려섭니다

이제 서른세 번의 종소리가 울리면
우리는 그대로인 채로 새롭게 태어납니다

신화 속 홍해를 갈라지듯
어제의 내가 오늘의 나는 쩍하고 갈라지겠습니까

세밑과 새해의 나는 다릅니까
저 종소리를 듣기 전과 후이니 틀림없이 다릅니까

나는 내 몸속의 찌꺼기들을 파동에 실어
빽빽한 사람들 틈새로 기어이 내보내봅니다

그 해 여름

그 해 여름은 유난히 해가 떠 있는데도 비가 많이 왔다
너와 헤어지는 동안 나는 많이 걸었다
걷는 동안 내리는 비를 나는 피하지 않고 맞았다
온몸이 흠뻑 젖는 소나기를 맞으며
나는 인생이 그런 것이라고,
해가 떠 있는 하늘에서도
비 한 바가지가 쏟아지는,
다 맞지 않고서는 끝나지 않는 고통이 있는 것이라고
스스로를 다독였다

3부. 청춘의 새벽

어느 조용한 봄날

어느 조용한 봄날
서울시내 한구석에 있는 작은 영화관을 찾는다
그곳에 있는지 구태여 알지 않고서는
눈에 띄지 않을, 내내 알 수 없을 그런 곳이다
작은 영화관에서 불이 꺼지고 문이 닫히고 막이 닫힌다
구태여 인연이 없고서야
눈에 띄지 않을,
어떤 삶을 사는지 알 수 없는 몇몇 인생들이 앉아있다
아주 오래전 이 땅에 살았다던
아주 오래전 이 땅을 그리워했다던
어느 시인의 삶이 눈앞에 펼쳐진다
저마다 그 인생에 제 인생을 덧입혀
감사하고 반성하고 눈물짓고 한숨 쉰다
영화가 끝나고 누군가의 박수소리
어느 조용한 봄날
혼자서 먼지 자욱한 자그마한 영화관을 찾은 젊은이는
수십 년 전의 젊은이의 꿈에 시에 사랑에 인생에
제 것을 감히 나란히 세워보려다
역시 안된다 하고는 어둠을 뒤로한 채 걸어 나온다
이 봄날에 하늘은 푸르고 푸르다
젊은이는 하염없이 하늘을 보고 섰다
여기 하나의 인생이 하늘을 보고 섰다

면접장

젊은이는
누가 누군지도 모르게 똑같은 정장을 차려입은
그 틈에서
손바닥을 쉴 새 없이 바지에 닦아냈다
땀이 흥건했다

손에 땀을 꼭 쥔다는 것은
누군가의 삶을 꼭 쥔다는 것과 같다는 것을
수험표를 단 젊은이와
그를 바라보는 면접관들은 알고 있을까
땀을 꼭 쥔 그 주먹의 무게와
무언가를 써 내려가는 펜의 무게는 동일한가

젊은이의 말은 정처 없다
그의 손에 쥔 땀방울은
송골송골 둥글둥글
젊은이는
자신의 삶의 궤적에 대해
이모저모 이러쿵저러쿵 떠들어댄다

생면부지의 사람들과
그의 모든 희,로,애,락을 이야기한다
어쩐지 그도 그의 삶으로부터 멀어진다
무대 위에 옮겨진 한 사람의 삶에 대해 비평을 하며

눈앞의 이들과 한 판 대거리를 한다
그 연극의 다음 막을 어디로 향하게 할 것인지를 두고

연극 위에나 밑에나
전이나 후나
희로애락은 여전할 것인데
젊은이나 면접관이나 그러할 것인데
그래도 밥벌이는 귀해서
젊은이는 쩔쩔맨다

그렇게 쩔쩔매면서
송골송골 땀을 쥐고
그래, 오늘도 잘 부탁드릴 밖에

등산

당신과 함께 산을 올랐다
산등성이 너머에 있을 무언가가 있을 줄로 믿었다
그 무언가에서 우리는 늘 둘이었다
재촉하는 내 발걸음 뒤로
너는 더뎌졌고 끝내 사라졌다
앙상하고 서늘한 나뭇가지만이
나를 바라보고 있었다

재촉하는 생은 늘 나를 혼자 남겨두었다
내 옆을 지나치는 것과
내 뒤로 남겨지는 것이 무엇인지 몰랐다
그래서 많은 발자국들이 지워지는 것을
미처 보지 못했다

너의 발걸음 소리도 낙엽을 밟는 소리도
들리지 않았다

나는 또다시 혼자였다
그래도 이끌리듯 발걸음을 재촉했다

산등성이 너머로
또 다른 산등성이로

바다

망망대해 수평선 끝에
시선 가닿는 곳마다 너의 얼굴이다
그곳을 빤히 바라보다
바다가 깊은가
네가 깊은가
질문했다
수면은 고요하고 대답은 떠오르지 않는다
내 옆에 앉은 너의 얼굴을 바라보았을 때
그 눈동자 속에서 문장 하나를 건져 올렸다
필시 네가 더욱 깊다,고

그러자
곁에 앉은 네가 아스라이 멀어졌고
바닷바람 때문인지 너와의 간격 때문인지
나는 한기가 느껴져 몸을 떨었다
필사적으로 너의 손을 잡았다
바닷물처럼 너의 손이 내 손아귀를 힘없이
빠져나가버릴까 봐
나는 잡은 손에 힘을 주었다

너는 나의 손을 잡아주었다
평생 너의 눈동자를 바라본다 한들
나는 너의 심해에 가닿을 수 없겠지만

되었다
이걸로 되었다
너의 손을 잡고
너의 눈을 보고
나는 오늘도 바다를 유영한다

말이 말이야 말이 아니네

안녕하신지 말입니다 예전에 그런 사람이 있었습니다 신의 계시를 받아 돌탑을 세우는 데 한 평생을 바친 사람 말입니다 저는 가끔 그런 생각을 하곤 합니다 돌탑을 세우는 심정으로 말을 내뱉는 건 아닌가 하고 말이죠 세상에는 몇 가지 언어가 있을지요 눈빛도 손짓도 언어라면 언어겠지요 나는 내 나라말의 몇 가지 단어를 아는 채로 죽게 될지요 사람은 하는 말만 한다는데 나의 가족 친구들은 내 말이 지겹겠군요 그러고 보니 나도 사람들의 말버릇 같은 걸 기억하는 것 같기도 하니 말입니다 그런데 때로 그런 법이죠 기억하지 못하는 것들이 더 진실에 가깝죠 뱉지 못한 말들이 더 진심이게 되는 거죠 아 그러고 보니 가슴속 공터의 돌탑 중 했던 말들의 돌탑보다 하지 못한 말들의 돌탑이 훨씬 높군요 모난 돌들만 튕겨져 나온 것일지도 모르겠네요 마음이 비틀어져 결국 뒤틀려버린 것들이겠지요 하 이거 참 말하고 보니 말이 말이 아니군요 그래. 말 같지 않은 말들을 들어내느라 말보다 더 말 같은 무엇 그 무엇이 없는 세상에 그래 당신 수고 많으시지 말입니다

시계

메탈 시곗줄은 너무 무겁고
가죽 시곗줄는 너무 가볍다
하나는 너무 매번 벗어놓았고
하나는 매번 벗는 걸 잊었다
하나에겐 무심했고
하나에겐 얽매였다
어쨌거나 한 번씩은
시간이 이마만큼 흘렀나,하고
놀란 적이 많았다

1초 60분 24시간 7일 1주 1개월 1년
이런 것들이 존재하지 않았던
태곳적 사람들은
무엇에 무심하고
무엇에 얽매이다
무엇에 화들짝 놀랐을까
늦지 않았겠지
쫓기지 않았겠지
그들에게 삶은 그저 지속되는 것

일단락이 주는 두려움이 없었겠지
시작도 중간도 끝도 없었겠지
끝이 언제나 시작임을
그들은 언제나 온몸으로 알았겠지

시계 대신 다른 무언가를 보며 살 수 있다면
하늘과 태양, 어둠과 달 그리고 별
집을 찾아가는 새들의 날갯짓과
어스름하게 내려앉은 땅거미
잔잔하게 잠드는 강물결
너의 얼굴

시간은 나를 산다
석양은 눈동자를 물들인다
조여진 마음은 좀체 조급해질 줄을 모르고
나는 시간에 나를 얹지 못한다

수집

노인의 낡은 협탁 위에는
오래된 타자기가 놓여있다
타자기는 타닥타닥
어제의 글자와 오늘의 글자 사이를 붙잡는다
먼 곳에서 시작한 이야기는
발걸음을 재촉하여 이곳에 머무른다
오래전 출발한 단어들도
마침내 이곳에 이르러 여독을 푼다
타자기는 오르락내리락 움직이고
흘러가는 옛 노래
어린 연인의 속삭임
누군가 아이를 부르는 소리
조간신문의 구겨진 글자
그 글자들이
타자기 온몸 구석구석을 흐른다

차마 타자기까지 오지 못했거나
타자기에서 새어나가 갈 곳을 잃은 글자들은
사람들 사이를 부유한다

끝내 글자들이 향할 곳은 어디인가
어딘가 먼 행성
또 다른 지구에
우리가 쓰고 말하고 잊은 말들의 쓰레기장이 있다

그 쓰레기 더미 속에
사실은 버려지지 말았어야 할 마음들이 있다
오래된 타자기를 차마 버리지 못하는 노인은
다른 행성의 쓰레기 더미를 뒤져내는 마음으로
너를 들으며
너의 말들을 가두며 사는 것이다

도망

나를 그렇게 빤히 바라보지 말아요
나는 오해만큼 이해가 무섭습니다
당신의 끊임없는 응시는
내게는 칠흑 같은 질문
나는 그 질문들을 견디다 결국은 부서지고 말 테지요
그러니
구석으로 모서리로
기고 또 기는 것이지요

당신의 빤한 눈동자는
어린아이의 악의 없는 악의 결과
개미를 내리쫓는
아이의 투명한 돋보기처럼
빛을 모아 세상을 바라보는
당신의 눈동자는
순수한 멸시

신원을 알 수 없는 주검과 같이
나는 영원히 행방불명인 채로

미상의 존재로 그렇게
오래도록 영원히
당신의 시선을 견디고 튕겨내면서
이 생은 늘 도망이었다고

사각

사각의 터전
꼭짓점 사이에 맺혀있는 시선들은
어른과 아이의 숨바꼭질처럼
보고도 못 본 척할 수밖에 없는
배려의 엇갈림
꽁꽁 싸맨 얼굴은 추위를 견디기 위함인가
그 속의 무언가를 감추기 위함인가
한밤중 누워 생각한다
어느 곳도 각 지지 않은 육체를
각진 방에 뉠 때

1층
2층
3층
4층
5층
6층
7층

내 위로 탑처럼 눠어질 또 다른 육체들을
애써 기만처럼 놓인 바닥과 천장이
진짜 땅과 하늘인 것처럼 생각하며
네모 안의 네모 안의 네모 안의 네모
우리는 부딪힌 눈빛도 처음처럼

외면하면서 그렇게 누워서
그리도 정갈한 사각의 모서리와 꼭짓점을
애타게 훑으면서
가물가물 눈을 감아보는 밤

권태

사거리 3번 출구 앞 약국은
뜻하지 않게 목이 좋은 노다지 땅이라
오가는 사람이 많습니다
이곳에 사는 사람뿐만 아니라
이곳에 만나러 오는 사람들도
아무도 이 동네에 살지 않는 일행들도
느닷없이 나타난 이런저런 아픔을 무르러
이곳의 종을 딸랑입니다

오늘은
코감기 하나 타박상 하나 뾰루지 하나
박카스 하나 테스트기 하나 붕대 하나
두통 하나 연고 하나 화상 하나
무릎 통증 하나 소화 불량 하나

하얀 약장에 차곡차곡 채워진 약들이
하나하나 비워지면 그 자리는
고통과 치유가 대신합니다
약사는

그 빈자리에
고통을
치유를
채워 넣는 일이

익숙하여

그에게 날로 더해가는 고통은
깊어가는 권태입니다

어느 날 그는
딸랑이는 종소리에 권태를 실어 보내고
고통과 치유와 함께
권태를 욱여넣고
가끔은 몰래
약봉지에 담기도 하고
사명이니 업의 무게니 하는 것을
본데 몰랐던 채로
그렇게 한차례
권태를 실컷 몰아내봅니다

그리고 그는 다시
흰 약장을 비워내고 채워 넣습니다

한낮의 퍼레이드

빛나는 거리에 놓인
너의 작은 세계
아이의 웃음
부서지더라도
상처 나지 않는 마음
아지랑이 핀 땅의 거울
거울 속 나는 내게서 비틀어진 마음을 본다
진심이라는 거짓
오래된 광부의 쓸모 잃은 석탄은
땅속을 오르내린다
어릿 광대의 웃음은
아이의 입꼬리를 올렸다 내린다
광대의 입은 언제나
우는지 웃는지 알 수 없다
사람들은 바쁘게 움직이고
도로에 울리는 클랙슨 소리
어릴 적 꿈은 길 위에 흩뿌려지고
꿈의 동산은 나를 데리러 와
나는 광대의 손을 잡고 하늘로 두둥실
저 아래 보이는 장난감 집들과 작은 차
하늘로 올라가는 광대의 풍선과
광부의 석탄
그것들이 땅으로 다시 떨어질 때,

나도 그 꿈들과 함께 다시
힘겹게 착지한다

편의점

진열된 당신의 수고로움을 삽니다
7530원짜리 당신의 한 시간 중 5분을 삽니다
무균의 공간 무언의 공간
오로지 등가교환만이 이루어지는 장
잉여라는 것은 없는 장
잉여생산물이 세상의 모든 여남은 질서들을
이제는 중요한 그것들을
우리도 얽매인 그것들을
그러니까 돈,권력,지위,계층,문화와 같은 것들을
만들어 낸 것을 알고 있습니까
그러니 이곳은 외려
태초의 공간
재화가 지배하는 어두울 틈 없는 진열대
그 뒤에는 당신의 어둠
모든 빛을 이고 있는 창고의 무질서
당신의 빛의 공간에서 숫자를 만지고
어둠의 공간에서 그 숫자의 형태를
옮기고 쌓고 담습니다
이곳의 유일한 변칙
등가일 수 없는 당신의 수고로움을
오늘도 나는 지나칩니다

창가

오늘도 조금씩 키가 자란 창밖의 가림막
언젠가부터는 그 차이가 점점 줄어든다
가림막이 다 가리지 못할 정도로
키가 자란 새 아파트는
사람이 살지 않아 아직은 설익었다
어둠은 소리에 자리를 내주고
빛은 소리를 먹으며 더욱 빛나고
그 빛에 영글은 땀방울은 갈 곳 없이 흐른다
집을 만드는 것은
빛과 어둠과 소리와 땀방울이다
그 집에 사는 것도 그런 것일 테다
빛과 어둠은 쉴 새 없이 교대할 테고
사람을 깨우고 재우겠지
웃음과 울음, 한숨과 대화 소리
오늘 치의 삶을 견딘 땀방울
창밖에는 늘 그런 것들이 사는 셈이다
빛과 어둠과 소리와 땀방울이
너무나도 부지런하다
조용히 모양 없이 소란하다
삶이 늘 그렇듯이

생활용품의 생활

여자의 하루는 오늘 고단했다,고
해진 슬리퍼는 생각했다
슬리퍼를 신지도 않고
그냥 지나쳤기 때문이다
여자는 그럴 리 없는 깔끔한 성격의 사람이었다
그러니까 자신의 집에 오는
모든 이들이 슬리퍼를 신도록 이야기했고
여분의 것을 마련해놓았다

여자가 피곤하다는 증거는
여기저기서 발견되었다
제멋대로 놓인 가방과
비뚤게 걸린 재킷
초침은 침대에 쓰러진 여자를 보며
한참을 혼자서 똑딱였다

이윽고 여자가 몸을 일으켜
화장실로 향했을 때
거울이며 칫솔이며 샴푸

그리고 그녀가 아침에 쓰고 걸어 둔
축 늘어진 수건걸이의 수건이
그녀의 피로를 목도하였다

샤워기에서 내리붓는 물은
그녀의 피로를 씻지 못하였지만
다만 그녀의 몸은 노곤하게 만들었다
그녀는 물기를 닦아내고서야
슬리퍼를 찾아 신었다

알몸의 그녀를 감싼 건
슬리퍼뿐이었으나
그것조차 이내 그녀가 침대로 투신하자
깜깜한 어둠 속으로 사라졌다

다음날 아침, 여자는 일어나
덜 뜬 눈 대신 발바닥으로 쿵쿵, 휘적휘적
땅바닥을 쓸어 슬리퍼를 찾는다
슬리퍼는 여전히 어둠 속이다
여전히 없는 것이다

뜸

퇴근하고 집에 오니
어머니는 누워 배 위에 쑥뜸을 놓고 계셨습니다
나를 잉태했던 배는
시시때때로 차가워져 속앓이를 하시곤 합니다
부엌의 아버지는 저녁밥의 뜸을
들이고 계셨습니다
두 분이 모두 뜸 들이고 있는 모습을 보자니
어쩐지 저도 무언가 뜸 들였다
무언가 풀어내야만 할 것 같았습니다

밥은 다 지어지고
나는 마르지 않은 머리칼을 흩뜨리며
식지 않은 식탁에 앉습니다
밥은 식기 전에 먹어야 합니다

밥을 먹고 나서 나는
오래도록 설거지를 합니다
짓는 일과 씻는 일에 비해
먹는 일은 참 빠릅니다

내 삶은 내게 너무 오래 뜸을 들이고 있습니다
나는 때로 지친 기분입니다
언제까지나 지어지고 있습니다
금방 먹혀

오래 씻어야 하는 때가 언제일지 모르겠습니다
다만 나는 어머니께 쑥뜸 놓는 법을 배워
아직 아무것도 아닌 내 배 위에
가만히 불을 올려다 놓습니다

도로의 눈

나는 도로에 멈춰 선 4개의 눈
감시자의 눈 가해자의 눈 피해자의 눈 목격자의 눈
교차로에서 나는 한참을 멈춰서 있다
풍경은 산란했다가 이내 제자리다

나는 시선을 던진다
횡단보도는 애초에 이어질 생각 없었을까?
그러니까 면이라기에는 좁게
선이라기에는 짧게 놔어있는 걸까
보행자들은 그러니까
면도 아니고 선도 아닌 그것들을 밟으면서
이 편에서 저 편으로 넘어가는 것이다
내 자리라기에는 좁고
단지 교량이기에는 눈길을 뺏는
이도 저도 아닌 도로의 균열들
이 편으로 향하는 이들과
저 편으로 향하는 이들은
횡단보도처럼 서로 엇갈려 마주치지 않는다

진출 시에는 좌측 자전거를 주의해야 한다
표지판의 아우성은
배려 없는 인간들을 탓한다
생은 늘 그런 것인데
한 걸음 내디딜 땐 언제나 주의 깊게

주위를 살피며
주의해야 하는데
모두들 그 무슨 자신감을 그 대단한 대담함으로
불쑥불쑥 잘도 나타나는지
나는 시선을 거둬들인다

벽돌의 감옥

그러니까 환청인 줄 알았다
늙은 의사도 그랬다
“요즘 스트레스가 많으신가 봐요.
푹 자고, 맛있는 것도 먹고, 사람도 만나세요.”
스트레스를 받아 본 적 없는 듯이
그가 이야기한다
나는 착한 학생이 되어 그의 이야기를 경청하고
고개를 끄덕이고 이내 웃으며 말한다
“네 감사합니다 선생님. 한결 낫네요.”

복사기가 같은 종이를 토해내는 동안
나는 할 일이 없어 창밖을 보았다
그럴 줄 알았으면 안 보았을 것이다
그러니까 벽돌이 내게 말을 걸 줄 미리 알았더라면

작은 창에 온통 보이는 벽돌에서는
아우성이 만연하다
소리는 어느새 형태가 되어
유리창을 흔들어 버린다

깨지는 못해도 넘어는 와서
나를 쿡쿡 찌르고, 나는 찌르르 반응한다

나는 드디어 그의 말을 듣는다
시멘트 반죽 속 벽돌은

숨이 막히다
방법은 붕괴
온몸이 부서지는 방법으로만 해방은 가능하다
나는 벽돌의 감옥을 부실 궁리를 한다

이쯤에서 늙은 의사는 말하겠지
"망상이 심하시군요."
삶을 제대로 살아본 적이 없는 이의 단어다
망상과 환청 없이
제대로 버틸 수 있는 곳이 아닌데
공기는 굳어가는 시멘트처럼 나를 찌그러뜨리는 데
나는 망상하지 않고 환청 없이 사는 척
쾅쾅
모두가 잠든 밤에
벽돌들의 탈옥을 돕는다
어느 날은 돌을 들고
어느 날은 도끼를 들고

또 오늘은 장도리를 든 채로
쾅쾅
두드리면서 나는 벽돌에 응답한다
그래, 여기도 사람이 있습니다

엄호와 암호

세상 모든 것이 나에게 말을 거는 데
나는 아무 대답도 할 수 없는 날이 있다
그런 날은 나의 기분이
응축되고 응축되어
결국엔 물이 되어 흘러 버릴 것만 같다
갑자기 펑
그리고 줄줄줄
사람들 사이를 흘러내리는 나
사람들의 놀란 눈
나는 그들의 입속에서 커진 동공을 찾는다

오가는 당부와
내리누르는 다짐 속에서
삶은 계속되었다
그 말들은 모두
이 생의 엄호와 암호가 되어
파편처럼 흩뿌려졌다
나는 규칙을 찾아내는 수험생이 되어
언제나 시험을 치는 기분이었다
감독관의 구둣발은
시멘트 바닥을 쿡쿡 내리찍는다
가끔은 군홧발 같기도 했다

고속도로 위의 왈츠

달리지 못하는 고속도로에서
비는 내리고
너는 답을 주지 못하는 교통방송을 듣다 잠이 들고
잠들 수 없는 나는 너를 보고
앞을 보고

빗방울은 창문을 타닥타닥 투두둑 투두둑 리듬 짓고
와이퍼는 메트로놈 박자는 맥박
저 앞인지 저 뒤인지 알 수 없는
또 다른 차 안에 갇힌 누군가의 클랙슨은 시작 소리
이제 차창은 미끄럼틀
보닛 위에서 시작되는 한밤중 빗속의 왈츠
흐르고 밀어내는
볼따구 위 일생의 움직임과 같이
그들은 필사적이다
헤드라이트는 스포트라이트가 되어 움직임을 쫓는다
낙하와 미끄러짐이 추는 왈츠를

왈츠에서 탱고로 차차차로 삼바로 그러다 다시 왈츠로

그때 그 빗방울들은 선율이자 몸짓이었고,
나는 그것들을 보았고
그때 너의 잠든 얼굴은 그 선율, 그 몸짓과 꼭 닮았고
그렇게 너는 빗방울들과 함께 날아갈 것 같았고

빠앙-
결국에 끝내고야 만 누군가의 한계에
빗방울들은 다시 하늘로
와이퍼는 다시 도로로
너는 다시 나의 전부로

이별

당신은 웃었습니다
나도 웃었지요

생각해 보면 전조들이 있었지요
모든 것들이 전조였지요

비통한 머리카락이 수챗구멍을 안고 있을 때
그 올의 비명들도
계절을 신지 않은 매미 소리가 따갑게
뒷덜미를 파고들 때에도
사정없이 갈라져 애틋하게 버티던
나무껍질의 견딤도

당신의 웃음은 모든 것을 덮는 장막
그 장막이 너무 깜깜해서
나는 그 장막 앞에서 무지개 꿈을 꾸었습니다
어두운 것들 사이에서
선연했던 무지개

나는 이제 그 꿈을 두고
다시금 당신의 선의로 점철되었던 이 지옥길을
거슬러 갑니다

이 장막이 걷히고
무지개가 사라지면
당신의 웃음을 나는 잊게 될는지요

마음의 얼룩

어떤 이가 좋은지
당신은 물으셨습니다
무언가를 물을 때
당신 눈동자를 나는 참 좋아합니다
사람들이 서로에 대해 그렇게
투명하게 궁금해한다면
우리 오해할 일이 없을까요

나는 마음이 얼룩진 이를 좋아한다 답했습니다
바다의 얼룩을 본 적 있나요
깊이가 만들어내는 그 짙음과 옅음 말입니다
한 길 사람 속이라는 옛말은
그저 비유가 아니어서
나는 깊이가 만들어 낸 얼룩진 마음을 좋아합니다

끝도 없이 파보기도 했던 끈질김과 집착
얼른 덮어 버린 성급함과 두려움을
그 사이에 수없이 흩뿌려진 망설임들을
좋아합니다

그 깊이를 굽이굽이 채우고
찰방찰방 넘쳐서 내게까지 흘러나와
이내 적시고 마는 그 마음을 좋아합니다

지치게 집요하고 때로 바보같이 겁내는
얼룩덜룩한 그 마음이
누군가를 진정 사랑했기에 얻은
장한 흉이라 믿기 때문입니다

상자

나무상자의 작은 구멍 안에서 어린 왕자는 무엇을 보았던 걸까요
살아 있는 그 무엇, 발견되기 만을 기다리는 꿈틀거림을 본 걸까요

그 옛날 나도 나의 마음을
작은 상자 안에 넣어 걸어 잠그고
문틈을 메워 암흑으로 포장했습니다

타인의 마음을 돌볼 수 없는 가난한 나의 마음을
쥐어뜯기에도 빈약하여 겨우 박박 문지르는 것 밖에 할 수 없는 나의 마음을
더욱 납작 엎드려 누구도 발견할 수 없는 나의 마음을

그 마음이 구르고 굴러
작은 구멍을 내었지요

마음의 비명을 구를 때마다
도처를 헤맵니다

어떤 순간에도 우리는 살아 있어야 합니까
어떤 순간에 우리는 살아 있습니까

누군가 작은 구멍을 들여다봐 줄 때까지
이 비명은 그칠 리 없고
이제 이 작은 상자 속에 있는 것이

마음인지 진공인지
걸어 잠근 이조차 잊어갑니다

잠꼬대

생각하기 싫은 일이 있을 때
너는 잠을 잤다

삶은 유치해
잠꼬대를 하면서

그럴 때마다
겁이 났다

네가 유치한 모든 일을
그만둘까 덜컥

지킬 수도 없는데
두려운 시간들이 이어졌다

애써 삶을 기록하는 행위들로
무용하지 않다 자위했다

나는 밤마다
서기가 되어
너를 받아 적었다

유치하고 치사하고 시시한
꿈밖의 감각과
꿈 안의 의식들을

그러면 네가 그 안에
붙잡혀 조금 더 남아주지 않을까
소원하면서

착시

오늘 밤은 내일 아침을 준비하는 시간이 아니므로
나는 너와 걸었지

멀리서 보며 학교인가 봐 했던 것이
가까이 가니 묘지였지

어떻게 학교로 봤을까
까르르 웃었지

쉬지 않고 자라는 곳과 죽어 멈춘 곳을
우리는 하나로 보았지

차가 달리지 않는 시외의 도로에
붉은빛이 떨어지는 시간이었어

아이들이 세상을 울리는 소리가 사라지고
그 낙차에 학교가 더욱 쓸쓸해지는 시간 말이야

그래서 그랬나 보다고

학교든 묘지이든 얼마간은 더 외롭고 애처롭고
애쓰는 시간이라서

너는 말이 없었고
나는 그런 너를 보았지

우리는 걸었지
자라는 것을 멈추고 살아가는 일이
죽음과 무엇이 다를까
문득 궁금해하면서

두 개의 창문이 나눠갖는 세계에는
어느 쪽도 진실이 없고
거짓이 아니다

입술의 허물

한껏 입씨름하고 나면
입술에선 허물이 시름처럼 벗겨져
작은 입술 어디에 그 많은 껍질들이 숨어있었을까
허물 속엔 주름들을 바라보다
여전히 빼곡한 내 입술의 주름을 발견하지
그건 어떤 거짓의 형식일까?
거울로 된 계단을 오르는 다리를 생각해 봐
어떤 것도 제 몫이 아닌 다리를
겨울이면 다리에 새겨지는 문양들을
입술의 것과 동일한 인장을
매일 한 줄기씩 더 갈라지는 것 같아
내가 뱉은 거짓말에 대한 채찍질일까
함부로 입술을 깨물지는 말 것
그새 부풀어 올라 주름이 없어지는 그 순간
난 아무 말도 할 수가 없어
그 거짓들의 희망이 한꺼풀씩 쌓여있어
오늘도 내 입술엔
허물이 눈처럼

흔들

당신은 오래 가라앉아있었다
나는 고개를 숙여
바닥에 코가 닿을 듯이
당신을 바라보았다

인사이자 안부
감시면서 감사
안녕

당신이 떠오른다
흔들린다
갈라진다
깨진다

아플 것인가
나는 잠시 주춤거린다
반가울 것인가
내 고개 뒤로 젖혀진다
내 허리가 조금씩 펴진다

당신이 떠오른다
오늘 저녁에는
두 벌의 수저를 놓아볼 참이다

이불

꺼진 불속에서 꼼지락거리는 발바닥으로
당신을 더듬어 찾는다
당신은 초저녁부터 잠이 들었다
이불이 당신의 몸을 휘감고 있다

나는 그 이불이 당신의 목을 죌까 두렵다
나는 손바닥으로 그 이불을 그러쥔다
잠든 당신은 잠결에도 이불을 놓지 않는다
그것이 태초의 탯줄이라도 되는 듯이

당신은 유영하는 꿈을 꾸는가
자궁 속에서 당신은 자유로워진 것일까

한 여름에 땀띠가 나도 이불을 차지 않는 당신은
그 속에서 무엇을 탐내어
그리도 말랑한가

나의 차가운 손바닥과 발바닥은
이불 속에서도 여전히 꽁꽁 얼어있다

내 몸이 내게서 아득해진다
가장 정직한 것마저 의심스러워지는 때가 있다

당신은 여전히 쌔근쌔근 잠에 빠져있다
나는 당신의 숨소리를

시곗바늘 삼고, 밤이 물러가는 모양을
헤아리고 있다

내일 아침엔 미역국에 갈치구이를
해서 당신과 먹을 것이다
그러고는 이불을 털고
당신과 함께 다시 해가 뜬 거리를 걸을 것이다

스물 둘

그때 우리는 스물둘이었고
길을 몰라 오래 걸어도 다리가 아프지 않았다
한 번은 기차를 타고 중심도시로 돌아가다가
잘못 내리고 말았는데,
플랫폼에 주저앉아
언제 올지 모를 다음 기차를 기다리는
그 시간마저도 두렵지 않았다
기차가 언제 올지 모르는데도.
힘들어도 힘든 줄 모르고,
기다려도 지칠 줄 모르고,
몰라도 두려워할 줄 몰랐던 그 시간이
내 안 어딘가에 남아 있는 것 같다

내 안에 남아서
그런 순간들이 오더라도
그러니까 힘들고, 지치고, 두렵고, 모르는 순간이 오더라도,
시간이 지나면 기차가 오고,
언제고 목적지에 다다르며,
그 목적지가 다시 출발지가 되어 떠나더라도,
내가 도달할 또 다른 목적지가 있을 것임을
나도 모르게 속삭여주었던 것 같다

가나다

십여 년 만에 문방구를 들렀다
수정테이프를 사야 해서

값을 치르고 나오려는데
매대의 분홍 공책이
난데없이 눈에 띄었다

가나다를 연습할 만한
열칸 짜리 공책이었다

줄 없는 빈 연습장에서도
줄 맞출 수 있는
규격 갖춘 인간이 되었는데
나는 그 열 칸을 채우고 맞추고 싶어

조카 선물인 척
주인에게 공책을 내밀었다

책상에 앉아
공책을 편다

열 칸짜리에 어울릴 말을 찾지만
떠오르지 않아

나는 글을 처음 배우는 사람처럼
가, 나, 다 하고 하까지 채운다
가, 갸, 거 하고 기까지 채운다
한바닥을 채운다
다음 장도 채운다

이제는 내 이름을 쓴다
내 부모의 이름과
불러본 적 없는 조부모와 외조부모의 이름도 써본다
고모와 이모와 삼촌들
순식간에 족보가 된다

그렇게 한참을 쓴다
외운지도 잊었던 시구절도 쓰고
흥얼대던 노래 가사도 쓰고
바쁜 친구들의 이름도 쓰고
옛 연인의 이름도 쓴다

가에서 시작해 연인의 이름으로 끝난
나의 열 칸 공책은
띄어쓰기가 없다
나는 공백이 없다
꽉 채워 살았다

수하의 기록
시집 무엇도 되지 못한(2023)

무엇도 되지 못한

초판 1쇄 발행 2023년 9월 22일

지 은 이 수하
펴 낸 이 수하
Instagram : @suha.writer